Granulite

FRANÇOIS GRAVEL

ROMAN

36

ÉDITIONS QUÉBEC/AMÉRIQUE

425, rue Saint-Jean-Baptiste,
Montréal, Québec H2Y 2Z7
(514) 393-1450

Données de catalogage avant publication (Canada)

Gravel, François,

Granulite

(Collection Littérature jeunesse ; 36)

ISBN 2-89037-588-9

I.Titre II. Collection: Collection Littérature jeunesse (Québec/Amérique) ; 36.

PS8563.R388G72 1992   jC843'.54   C91-096133-9
PS9563.R388G72 1992
PZ23.G73Gr 1992

Dépôt légal:
1er trimestre 1992
Bibliothèque nationale du Québec
Bibliothèque nationale du Canada

Montage: Caroline Fortin

Illustrations intérieures et de couverture:
Francine Mercier

À Granulite

TABLE DES MATIÈRES

J'AIME MA GRAND-MÈRE, MAIS PAS TROP LONGTEMPS

J'aime beaucoup aller chez ma grand-mère, mais il ne faut pas que ça s'éternise. Quand je lui rends visite avec mes parents, ça ne dure qu'une heure ou deux. Elle me prépare du chocolat chaud, me donne des biscuits et des gâteaux, ensuite je regarde la télé. Pendant ce temps-là, elle bavarde avec mes parents en buvant du thé, et puis on s'en retourne à la maison. Je n'ai pas trop le temps de m'ennuyer.

Ce que je déteste, c'est être obligé de rester plus longtemps. Quand je me fais garder, par exemple. Une soirée, je ne dis pas. Mais toute une semaine, c'est beaucoup trop long.

C'est pourtant ce qui arrive chaque année, au début de l'été, quand mes parents vont célébrer leur anniversaire de mariage dans un hôtel. Ils disent qu'ils ont le droit de faire un petit voyage en amoureux. Je suis d'accord. Mais moi, je devrais avoir le droit de rester seul à la maison, de me garder moi-même. Je suis parfaitement capable de préparer mes repas avec le four à micro-ondes, de prendre les messages au téléphone et d'appeler la police s'il y a des voleurs. J'ai même suivi des cours de karaté, je sais me défendre.

Mes parents ne veulent pas. Ils prétendent que je suis trop jeune, alors je vais chez ma grand-mère et je m'ennuie.

Ma grand-mère est beaucoup trop vieille pour moi. Nous n'avons pas les mêmes goûts. Ce que j'aime, moi, c'est le sport. Surtout le hockey, mais aussi le baseball, le football, le tennis, le mini-putt, n'importe quoi sauf la boxe. Le sport, j'adore ça. Ma grand-mère, non. Elle ne pense qu'à ses dictionnaires. Elle en a plein sa maison.

Je n'ai jamais vu quelqu'un qui aime autant les dictionnaires. Elle fait souvent des mots croisés, mais je pense qu'elle n'aime pas vraiment ça. Ce qu'elle aime, c'est fouiller dans ses vieux livres pleins de poussière.

Mes amis non plus n'ont pas toujours les mêmes goûts que moi.

Parfois, ils veulent jouer à un jeu de table tandis que je préférerais le hockey-balle. Quand ça arrive, on négocie.

D'abord on joue au monopoly, ensuite au hockey-balle. Tout le monde est content.

Je voudrais bien négocier

avec ma grand-mère, mais je l'imagine assez mal déguisée en gardien de but pour essayer d'arrêter un de mes foudroyants lancers. Même au hockey sur table, je la battrais cent cinquante à zéro.

Chaque année c'est la même chose: je suis obligé de jouer avec ses dictionnaires. Quand j'étais plus petit, j'apportais mes petites autos et je m'installais dans le salon. Avec des piles de dictionnaires, je faisais des maisons, des édifices et des garages. C'était un bon jeu, mais j'ai passé l'âge de jouer avec des petites autos.

Parfois, aussi, je regardais les images. J'aimais beaucoup les champignons, les châteaux avec des ponts-levis, et surtout les drapeaux. Quand je m'ennuyais vraiment beaucoup, je prenais mes crayons de couleur et j'inventais des pays.

Ma grand-mère était toujours

inquiète: elle avait peur que je dessine dans ses dictionnaires ou que j'arrache les pages.

Maintenant que je suis plus grand, elle a moins peur. Mais le problème, c'est que je n'ai plus envie de regarder des images, d'inventer des pays ou de dessiner. Ce que je voudrais, moi, c'est jouer au hockey.

Quand je suis arrivé chez ma grand-mère, je n'étais pas de bonne humeur. Je ne m'attendais vraiment pas à ce qu'elle me trouve des jeux qui me feraient oublier le hockey. Je ne m'attendais pas, non plus, à découvrir un mystère.

LE JEU DES
PHRASES FOLLES

— Si tu veux, m'a dit ma grand-mère en me servant un grand verre de lait et un énorme morceau de gâteau, aussitôt après le départ de mes parents, je vais te montrer des jeux aussi amusants que le hockey.

J'ai eu envie de répondre que ça me surprendrait, mais je me suis retenu. Tout en mangeant mon gâteau, je regardais ses bras mous, pleins de taches brunes, ses coudes tout froissés, ses mains fripées, son visage ridé, et j'essayais de l'imaginer en train de courir sur un terrain de football...

Alors elle a posé un diction-naire sur la table, puis une feuille de papier et un crayon. Évidemment. Comme je n'avais pas le choix, j'ai été obligé de jouer à son jeu.

— D'abord, tu vas écrire une phrase.

— N'importe laquelle?

— N'importe laquelle.

J'y ai pensé un moment, et puis j'ai écrit «les chiens jappent et les chats miaulent».

— Bon, très bien. Maintenant, tu vas chercher chien, japper, chat et miauler dans le dictionnaire. Quand tu les auras trouvés, remplace-les par un autre mot que tu prendras sur la même page. N'importe quel mot.

J'ai fait comme elle a dit. Et ça donnait une phrase folle: «les chiffonniers jardinent et les chatouilles microbes».

C'était vraiment un drôle de jeu. On a continué comme ça toute la soirée.

Ma phrase «les dictionnaires de

ma grand-mère sont dans la bibliothèque» devenait «les dictateurs de ma granulite sont dans la biche».

Grand-mère a joué à son tour: «j'écris avec un stylo» s'est transformé en «j'écrevisse avec un stupide».

Ensuite j'ai fait «je mange de la viande et des légumes», qui est devenu «je manière de la vice-versa et des lendemains».

La dernière phrase m'a beaucoup fait rire. J'avais écrit: «mon père et ma mère sont partis en automobile», et ça a tourné en: «mon perfide et ma mercure sont partout en automitrailleuse».

C'est vrai que c'est un drôle de jeu. Ma grand-mère a bien ri, elle aussi, quand mon père s'est transformé en perfide et ma mère en mercure. Et puis j'étais drôlement content d'avoir trouvé un nom pour ma grand-mère. Je pense d'ailleurs que je vais continuer à l'appeler comme ça. Granulite, c'est un joli nom pour une grand-mère.

Quand je me suis couché, ce soir-là, je me suis dit que Granulite avait raison: j'avais un peu oublié le hockey.

Mais je me disais aussi que je ne pourrais quand même pas inventer des phrases folles toute la semaine, que je finirais bien par m'ennuyer.

• • •

J'avais un peu de mal à m'endormir. C'est souvent comme ça quand je ne dors pas dans mon lit à moi. Alors pour passer le temps, je me suis demandé pourquoi Granulite avait tellement de dictionnaires.

Je savais bien qu'elle avait déjà été maîtresse d'école quand elle était jeune, je savais aussi que mon grand-père, qui est mort

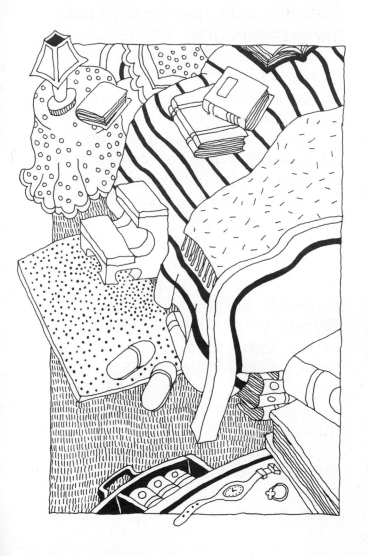

quand j'avais seulement un an, travaillait dans une librairie, mais ça ne m'expliquait pas pourquoi elle en avait autant. Il me semble qu'un seul dictionnaire, surtout un gros, c'est bien suffisant. À quoi ça peut bien servir d'avoir des centaines de dictionnaires? Ma mère m'a déjà raconté qu'une de ses amies avait divorcé parce que son mari était amoureux de son ordinateur. Il y a des gens, comme ça, qui sont amoureux de leur automobile, de leur maison ou de leur collection de timbres. Peut-être, après tout, que Granulite s'ennuie tellement de grand-papa qu'elle est devenue amoureuse de ses dictionnaires?

LE PAPIER SECRET
DE GRANULITE

Le lendemain, j'ai demandé à Granulite pourquoi elle était amoureuse de ses dictionnaires. Elle a arrêté d'essuyer la vaisselle, elle a eu comme un petit frisson et puis elle a toussé un peu même si elle n'avait pas mal à la gorge.

Ensuite, elle a haussé les épaules et elle m'a dit qu'on pouvait apprendre beaucoup de choses dans un dictionnaire, qu'on pouvait s'amuser...

Elle est toujours comme ça, ma grand-mère: quand elle n'aime pas une question, elle fait semblant de tousser et elle change de sujet.

Au lieu de répondre, elle m'a montré le jeu des mots mélangés. Il fallait inventer des mots nouveaux en combinant deux mots qui existent déjà, et poser une devinette. Comme je ne comprenais pas très bien ce qu'elle voulait dire, elle m'a fourni un exemple: comment appelle-t-on un éléphant qui a un drap sur la tête? Je ne trouvais pas la réponse, alors elle me l'a donnée: un éléphantôme.

C'était à mon tour de trouver une devinette. Après avoir réfléchi un peu, je lui ai demandé comment on appelait un hippopotame qui jouait du tambour. Un hippopotamtam! Et une girafe laide? Une girafreuse! Un chat qui rit? Un chatouille! Un serpent aplati? Un serpencarte! Comme on n'avait plus d'idées, on s'est servis du dictionnaire. Par exemple, pour faire une devinette avec tortue, il suffit de

regarder les mots qui commencent par tu. C'est comme ça que j'ai trouvé le nom de la tortue à chapeau, la torturban.

De la tortue fleuriste, la tortulipe. Et de la tortue la plus rapide au monde, la torturboréacteur! On s'est amusés comme ça un bon moment, et puis j'ai fait une découverte. Je cherchais, dans un gros dictionnaire qui s'appelle le *Petit Robert*, un mot qui commençait par «val», pour faire une devinette avec cheval. J'ai trouvé «valise». À côté, il y avait quelque chose que je ne comprenais pas.

C'était écrit: (1559; it. *valigia*; lat. médiév. *valisia*).

J'ai demandé à ma Granulite ce que ça voulait dire et elle a répondu que c'était l'étymologie. L'étymologie? Qu'est-ce que c'est ça, l'étymologie?

C'est l'histoire des mots, m'a expliqué ma grand-mère. Ce mot-là est né en 1559, ses parents étaient italiens, et ses grands-parents étaient latins.

C'est comme ça que j'ai appris que les mots avaient un anniversaire.

C'est comme ça, surtout, que j'ai fait une mystérieuse découverte. En regardant dans une des bibliothèques de Granulite, j'ai trouvé un très vieux dictionnaire. La couverture était noire comme un chapeau de sorcière, et les coins, tout écornés. Il s'appelait le *Petit Littré* (il était vraiment petit, celui-là, beaucoup plus en tout cas que le *Petit Larousse* ou le *Petit Robert*).

Je l'ai ouvert tout doucement, pour ne pas déchirer les pages. Dedans il y avait des fleurs séchées, des fougères, des feuilles d'érable, et surtout une lettre, une très vieille lettre écrite sur une feuille de papier pliée en deux.

La feuille était tellement vieille qu'elle était toute sèche et presque transparente, comme la peau de ma grand-mère.

C'était aussi excitant que de découvrir la carte d'une île au trésor dans un vieux coffre.

La lettre était très courte:

Le 4 avril 1940

Chère Marie, vorace vorace accordéon vorace maintenant?

Un peu plus bas, il y avait comme une signature:

Fénelon

C'est à ce moment-là que Granulite est rentrée dans la maison avec un panier de vêtements qu'elle avait fait sécher sur la corde à linge. Quand je lui ai demandé qui était ce monsieur Fénelon qui écrivait des lettres en code secret, elle a failli tomber sans connaissance.

— Où est-ce que tu as trouvé ça, toi?

Je lui ai expliqué que je l'avais trouvé par hasard, dans un autres vieux dictionnaire...

Elle a pris la lettre, l'a lue dix ou vingt fois, ensuite elle a regardé les fleurs séchées, en a pris une dans ses doigts, l'a fait tourner lentement, et elle s'est mise à pleurer. Pas vraiment pleurer comme quand on s'est fait mal, seulement deux petites larmes qui ont coulé lentement et se sont perdues dans ses rides.

J'étais tellement gêné que je n'ai pas osé lui poser de questions. Elle aussi était gênée, je pense: elle m'a dit qu'elle avait sûrement une poussière dans l'œil, et puis elle est allée s'enfermer dans sa chambre avec son vieux dictionnaire.

Elle est restée là pendant au moins une heure. Quand elle est revenue, elle avait l'air de bonne humeur. J'étais en train de regarder un film à la télévision. Elle est venue s'asseoir avec moi, et on a parlé un peu.

— Qu'est-ce que c'était, grand-maman, la lettre que j'ai trouvée?

— Ça, mon petit garçon, c'est un secret.

MONSIEUR SANDWICH

Le lendemain, nous avons passé la journée à nous amuser, Granulite et moi, à regarder des dizaines de mots pour découvrir leur anniversaire et pour savoir de quel pays ils venaient.

Nous avons trouvé des mots très jeunes, comme téléviseur, qui est né en 1953, et des mots très vieux, comme sommet, qui a été inventé en 1125, ou bien tête, qui est né en 1050.

Il y avait des mots italiens, comme piano ou spaghetti, des mots espagnols, comme camarade ou cannibale, des mots anglais, comme golf ou hockey, et même des mots algonquins, comme wigwam ou manitou.

Ma grand-mère m'a expliqué comment ça se passe: quand on aime un mot d'une autre langue, on le prend, c'est tout, on n'a même pas besoin de demander la permission. Mais la plupart des mots viennent des Grecs et des Latins de l'ancien temps. On les transforme comme on veut. Les langues, ça change tout le temps. Personne ne les a inventées, elles se sont faites toutes seules.

Je me posais plein de questions. C'est peut-être vrai que personne n'a inventé les langues, mais chaque mot a quand même été inventé par quelqu'un. Comment ils font, les gens, pour inventer des mots nouveaux? Et s'il y a des inventeurs de mots, comment ça se fait qu'on ne sache jamais leur nom? C'est important, les mots, il me semble!

Granulite m'a expliqué que c'est très compliqué, que chaque mot a son histoire et que certaines de ces histoires sont très bizarres. Elle m'en a raconté quelques-unes.

Un jour, en Angleterre, il y avait un comte qui aimait tellement jouer aux cartes qu'il ne pouvait pas s'arrêter, même pour manger. Alors il a demandé à son serviteur de lui servir de la viande entre deux tranches de pain, pour qu'il puisse continuer à jouer. Comme il n'y avait pas de mot pour ça, il a décidé de lui donner son nom: le comte s'appelait monsieur Sandwich.

En France, il y a longtemps, les gens jetaient leurs déchets n'importe où. Ce n'était pas très propre. Alors il y a un monsieur qui a dit aux autres que ça serait plus intelligent de les mettre dans des boîtes. Il s'appelait monsieur Poubelle.

En Italie, quelqu'un a eu l'idée, un jour, de coller ensemble de petites feuilles de papier, pour prendre des notes. Il s'appelait monsieur Calepino. Bien avant ça, en Italie aussi, les gens allaient voir des pièces de théâtre très drôles. Un des personnages, qui avait des vêtements bizarres, s'appelait Pantalon. Il y avait aussi un monsieur Silhouette, un monsieur Guillotin, qui a inventé la guillotine, et même un monsieur Klaxon!

Ma grand-mère m'a aussi raconté l'histoire du mot renard. Avant, on appelait cet animal un goupil. Un jour, un écrivain a écrit un roman qu'il a intitulé le *Roman de Renart*. Renart, c'était le nom qu'il avait donné à un goupil, et les gens avaient tellement aimé son roman qu'ils avaient décidé d'appeler tous les goupils des renarts. (Il devait être content, cet écrivain-là!)

Ensuite, je ne sais pas pourquoi, les gens ont mis un «d» à la place du «t», peut-être parce que ça faisait plus joli au féminin: une renarte, il me semble que ça aurait l'air un peu tarte.

Ma Granulite à moi était fatiguée de parler, alors pour se changer les idées on a joué au scrabble.

Moi, les secrets, ça m'intrigue. Et les messages secrets encore plus. Pendant tout le temps qu'on jouait, je pensais à la lettre que j'avais trouvée dans son vieux dictionnaire.

Avant d'aller me coucher, j'ai encore posé des questions.

Granulite a encore fait semblant d'avoir mal à la gorge, ensuite elle m'a répété que c'était un secret, et puis elle a fini par me répondre que ce n'était pas de mon âge.

Granulite est peut-être têtue, mais moi aussi. Et il n'y a rien que je déteste plus que de me faire dire que ce n'est pas de mon âge.

UN CODE SECRET

Depuis que j'avais trouvé la lettre mystérieuse, Granulite était bizarre. Elle avait emporté le vieux dictionnaire noir dans sa chambre et l'avait déposé sur sa table de chevet.

Chaque fois qu'elle passait à côté, elle le touchait du bout du doigt, comme pour lui faire une caresse.

Parfois, elle s'enfermait dans sa chambre pour le lire. Je pense même qu'elle dormait avec son dictionnaire, la nuit, comme un bébé avec son toutou.

Quand je lui posais des questions, elle faisait semblant de ne pas comprendre, ou bien elle me racontait encore des histoires de mots.

Qu'est-ce qu'il pouvait bien y avoir de si mystérieux dans son vieux livre? Peut-être Granulite était-elle une sorcière, les feuilles et les fleurs, des ingrédients de potion magique, et la lettre, une recette? «Vorace vorace accordéon vorace maintenant.» Qu'est-ce que ça pouvait bien vouloir dire?

Dès que Granulite me laissait seul, je fouillais dans le dictionnaire pour décoder le message en remplaçant les mots par d'autres mots que je trouvais sur la même page. Mais tout ce que ça donnait, c'était des phrases idiotes, comme «Vortex votre accident vomir mainmorte», ou bien «Volute voter accompagner voussoir maille». Ça n'avait aucun sens.

Ce qui m'intriguait le plus, c'était la signature. J'avais fouillé dans un dictionnaire de

noms propres et j'avais découvert qui était monsieur Fénelon: c'était un écrivain français qui était mort en 1715. Comment un écrivain mort depuis presque trois cents ans avait-il réussi à écrire à ma grand-mère en 1940? Granulite avait-elle voyagé dans le temps?

«Votant voracité accepter volvocale maillot?» «Vouloir vomitif acclamation votre mainmise?» Même en enlevant les mots les plus compliqués, comme volvox ou vomitif, je ne réussissais pas à comprendre le sens de la phrase.

«Vous votez accessoirement votre maillot?» «Votre voûte accompagne vos mailloches?»

• • •

Parfois, mes parents ne veulent pas répondre à mes questions, mais je réussis toujours à les faire parler. Quand j'étais plus petit, je leur posais deux mille fois la même question, jusqu'à ce qu'ils soient tellement tannés qu'ils finissent par répondre. C'est un bon truc, sauf que c'est fatigant, et parfois les parents se fâchent vraiment et ne disent plus rien.

L'autre moyen, c'est d'attendre le moment propice. Quand mon père rentre de son travail, par exemple, rien ne sert de lui parler, il bougonne tout le temps. Mais après le repas, surtout quand il a bu un peu de vin, c'est plus facile.

Avec ma mère, le moment propice arrive à la fin de la soirée, quand elle vient me voir dans mon lit. Elle est plus calme que d'habitude, on parle de choses et d'autres, et je finis toujours par savoir ce que je veux savoir.

Pour trouver le moment propice d'une personne, il faut bien

la connaître. J'ai décidé d'obser-
ver Granulite jusqu'à ce que je
trouve son moment propice.

LE MOMENT PROPICE

Je m'attendais à passer une autre journée à fouiller dans les dictionnaires, mais pas du tout. Le matin, tout de suite après le déjeuner, Granulite m'a amené dans une librairie pour m'acheter une bande dessinée, ensuite nous sommes allés au terrain de jeu pour que je bouge un peu, puis nous avons mangé du spaghetti au restaurant, et finalement elle m'a invité au cinéma.

On aurait dit qu'elle faisait tout ce qu'elle pouvait pour me changer les idées. Mais ça, c'est très difficile.

Quand nous sommes rentrés chez elle, à la fin de l'après-midi,

Granulite était fatiguée. Ce n'était pas le moment propice. Pour m'aider dans mes plans, j'ai décidé d'être super-gentil et de lui rendre toutes sortes de services: je me suis occupé des poubelles, je suis allé acheter du lait et du pain au dépanneur, et j'ai même épluché les pommes de terre.

Après le repas, je l'ai aidée à laver la vaisselle (elle lave toute sa vaisselle dans son évier, ensuite il faut l'essuyer avec un linge), et nous avons commencé une partie de scrabble.

Granulite avait l'air reposée, comme mon père après le repas ou ma mère quand elle vient me voir dans ma chambre. Le moment propice était venu. Ce qui m'intriguait le plus, c'était cette histoire de monsieur Fénelon qui écrivait des lettres à ma grand-mère.

— Penses-tu que c'est possible de voyager dans le temps,

grand-maman?

— Bien sûr! Rien de plus facile!

— Comment on fait?

— On ouvre un dictionnaire...

Toute la soirée, elle m'a encore raconté des histoires de mots! Rien à faire, je ne découvrirais jamais le mystère.

J'ai quand même appris que chaque mot a son inventeur, c'est sûr, mais que, la plupart du temps, on a oublié son nom.

Souvent, celui qui a inventé un mot ne le sait pas lui-même! Parfois, les inventeurs de mots étaient des farceurs. En latin, par exemple, le mot pour dire tête était *caput* (quand on coupe la tête de quelqu'un, on le décapite). Ensuite le mot s'est transformé et on a commencé à dire le chef (pour parler d'un chapeau, on dit parfois un couvre-chef). Et un jour, pour faire une blague, quelqu'un a employé le mot *teste*. En latin, une teste, c'était un vase de terre cuite. Les gens ont trouvé ça drôle, alors ils ont gardé le mot et ils ont oublié que c'était une blague.

J'ai su aussi comment il se fait qu'on n'écrit plus les mots de la même façon. Il y a très longtemps, avant qu'on invente l'imprimerie, les gens étaient obligés de recopier tous les livres à la main. Ceux qui recopiaient les livres s'appelaient les copistes. Parfois, ils faisaient des fautes.

C'est peut-être comme ça, à cause d'un copiste qui était dans la lune, que le mot teste est devenu tête.

La prochaine fois que ma maîtresse d'école me dira que j'ai fait une faute d'orthographe, je lui répondrai que ce n'est pas vrai, que je suis un inventeur de mots.

Ensuite Granulite m'a raconté

l'histoire du vieux monsieur sur la montagne: un jour, dans le désert d'Arabie, il y avait un vieux monsieur qui était le chef d'une bande de voleurs très méchants. Ils attaquaient les voyageurs et les tuaient. Les voleurs donnaient tout leur butin au vieux chef qui, en échange, leur donnait une sorte de drogue qui s'appelle le haschich. On appelait ces voleurs des Hachchâchi. Après, le mot s'est transformé pour devenir assassin.

J'ai appris aussi l'histoire de chandail, qui vient des marchands d'ail. Et l'histoire de salaire, qui vient du temps des Romains, quand on payait les soldats avec du sel (en latin, *salarium* voulait dire «ration de sel»).

Et l'histoire de sincère, qui vient des marchands de miel. Certains de ces marchands, qui étaient malhonnêtes, mélangeaient de la cire à leur miel pour faire plus de profit. Ceux qui étaient honnêtes ne mettaient pas de cire.

En latin, sans cire se disait *sine cira*, et c'est de là que vient le mot sincère.

Les histoires de grand-mère étaient tellement intéressantes que j'ai oublié qu'elle avait encore réussi à changer de sujet.

LA CLÉ DU MYSTÈRE

Il ne restait plus que deux jours avant que mes parents reviennent, et je n'avais pas encore trouvé la clé du mystère. Mais j'avais quand même découvert le moment propice pour faire parler Granulite: le soir, en jouant au scrabble.

Dès qu'on installait le jeu sur la table de la cuisine, elle devenait toute calme, reposée, on aurait même dit qu'elle avait moins de rides.

Souvent, elle m'expliquait le sens d'un mot, ou bien elle me racontait d'où il venait. Et parfois, un mot lui rappelait de vieux souvenirs du temps où elle vivait avec grand-papa. Alors elle me parlait de lui, de sa librairie et des parties de scrabble qu'ils faisaient, le soir, quand les enfants étaient couchés.

Ça me faisait drôle de l'entendre parler de ses enfants.

Même en me forçant, je n'arrive pas à imaginer que mon père a déjà eu cinq ou six ans, qu'il a déjà été un bébé.

Ce soir-là, ma grand-mère avait composé le mot «couvent».

Elle était très contente de son mot. D'abord parce qu'il avait sept lettres, et elle avait donc droit à un bonus de cinquante points. Ensuite parce qu'elle avait réussi à le placer pour qu'il compte le double, et enfin parce que ça lui rappelait plein de souvenirs qu'elle m'a racontés.

Un couvent, c'était une sorte d'école, dans le temps de ma grand-mère. Ça ressemblait beaucoup à nos écoles d'aujourd'hui, sauf que les planchers étaient en bois et qu'ils étaient toujours très propres.

Il y avait aussi d'autres petites différences: les maîtresses étaient toujours des religieuses, elles portaient de grandes robes noires même en plein été, elles étaient très sévères et ne faisaient jamais de fautes d'orthographe.

Souvent, les enfants mangeaient à leur école, dormaient dans leur école et ne revenaient chez leurs parents que pour les vacances.

Mais la plus grande différence, c'était qu'il y avait des couvents pour les filles et des séminaires pour les garçons.

Dans ce temps-là, m'expliquait Granulite, les filles et les garçons étudiaient dans des écoles séparées, même quand ils étaient adolescents. Ils ne pouvaient se voir que pendant les vacances.

— Est-ce qu'ils pouvaient s'écrire des lettres?

— Oui, parfois. Mais il fallait faire attention parce que les religieuses étaient sévères et lisaient toutes les lettres.

C'était à mon tour de jouer. J'avais pigé des lettres difficiles: XENIFWL. Je pouvais faire FIN, ou FIL, ou FINE ou FIXE, mais je ne savais pas où les placer. J'ai demandé à Granulite de m'aider, et elle a dit, comme ça, que je pourrais aussi faire FÉLIX, le prénom de mon grand-père, mais qu'on n'avait pas droit aux noms propres; ensuite elle a trouvé un endroit où je pourrais placer FIXE.

C'est comme ça que j'ai commencé à comprendre la lettre en langage secret.

GRANULITE FAIT ENCORE
SEMBLANT DE TOUSSER

À la fin de la partie, Granulite s'est installée devant la télé pour écouter un vieux film et moi, au lieu d'aller me coucher, j'ai fouillé dans le dictionnaire. D'abord, je suis allé voir dans les noms propres, pour vérifier quelque chose.

C'était bien ce que je pensais: Fénelon était sur la même page que Félix, le prénom de mon grand-père. C'était donc mon grand-père Félix qui avait écrit la lettre.

Du même coup, le sens du message était plus facile à découvrir. Après avoir fouillé un peu, j'ai fini par comprendre: Vorace vorace accordéon vorace maintenant, ça voulait tout simplement dire: voulez-vous m'accorder votre main?

C'est comme ça que Félix avait demandé Marie en mariage, il y a bien longtemps de ça, dans le temps où les adolescents étaient obligés de s'écrire des lettres en code secret.

C'est parce qu'elle s'ennuyait encore de grand-père qu'elle avait emporté le dictionnaire dans sa chambre. Et c'est parce que c'était une histoire d'amour qu'elle m'avait répliqué que ce n'était pas de mon âge...

J'étais bien content d'avoir enfin trouvé le sens du message.

J'aurais bien voulu en parler à Granulite, mais j'hésitais.

Peut-être qu'elle n'aurait pas été contente de savoir que j'avais découvert son secret, et puis il y a beaucoup de choses que je ne comprends pas encore dans les histoires d'amour, peut-être que ça lui aurait fait de la peine.

J'ai bien réfléchi, et j'ai décidé de me taire.

Mais il y avait quand même quelque chose qui me fâchait un peu dans toute cette histoire, et je l'ai dit à Granulite, juste avant de rentrer à la maison.

D'abord je l'ai remerciée, évidemment. Ensuite je lui ai avoué que je ne m'étais pas ennuyé, que j'avais appris beaucoup de choses intéressantes sur les mots, c'était vrai. Et enfin je lui ai dit que la prochaine fois que je viendrais chez elle, je voudrais qu'elle me parle de ses histoires d'amour.

Ils sont quand même un peu bizarres, les adultes. On va au cinéma avec eux, ou bien on loue des cassettes vidéo et on voit plein de meurtres, de vols de banque et de guerres. Mais quand c'est le temps de parler d'amour, ils font semblant de tousser, ils disent que ce n'est pas de notre âge, et ils partent en voyage pour ne pas qu'on les voie être amoureux.

Quand je lui ai dit tout ça, Granulite était tellement surprise qu'elle a encore fait semblant de tousser. Ensuite elle m'a dit que j'avais raison après tout et qu'on en reparlerait l'année prochaine.

Mes parents aussi ont été bien surpris. Pendant le voyage du retour, ils m'ont demandé ce que j'avais fait chez grand-maman. Je leur ai répondu que je m'étais bien amusé avec les vendeurs de miel et les assassins, et surtout avec les accordéons voraces de Granulite.

Quand ils m'ont demandé de leur expliquer ce que je voulais dire, je leur ai répondu que ce n'était pas de leur âge.

DANS LA MÊME COLLECTION